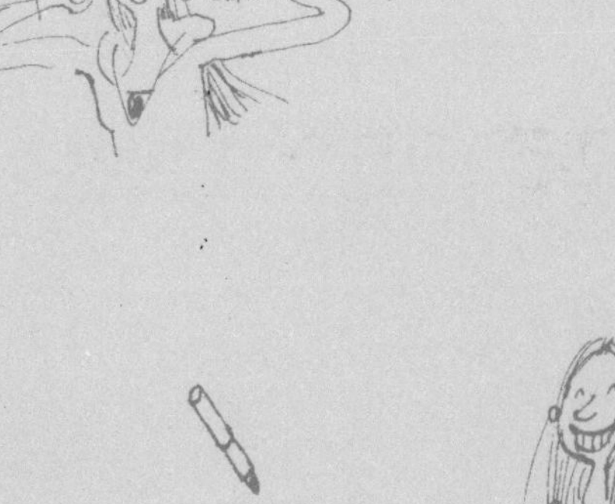
hi hi

Nanda Roep schreef ook:

Vriendinnen voor Isa
Tanja's song
Tanja is verliefd
Roddels over Tanja
Tanja en de jongens
Tanja viert feest
Thomas en Taleesa; het verhaal van je leven

www.nandaroep.nl
www.leopold.nl
www.chatgrlz.nl

Nanda Roep

Hey iemand online? help me ff! ... en van mOi!

Ch@tgrlz & boyz

Leopold / Amsterdam

Omslagfoto Jacqueline van Tol
Omslag- en binnenwerkillustraties Georgien Overwater
Omslagontwerp Petra Gerritsen
NUR 283 / ISBN 978 90 258 5049 4

Deze verhalen werden eerder gepubliceerd in *Tina*.

Inhoud

'Isa de Hartenbreker' heeft sjans!

Shit, shit, shit – waarom heeft haar moeder nou aan háár gevraagd om een pak suiker te halen?! Terwijl *Teenage Drama Queen* bijna begint op Net 7! Mama wéét toch dat TDQ Isa's favoriete serie is? Vandaag is de aflevering waarin Damian ein-de-lijk zal kiezen voor de lieve Jemima of b*tch Marloes, daar heeft Isa maanden op gewacht!

Het was eerlijk gezegd ook niet normaal *vragen* wat mama deed, het was gewoon *eisen* dat zij de boodschap zou doen.

Isa had heus wel gelijk toen ze zei dat haar zusje Nienke het net zo goed kon doen, maar mama begon meteen van alles te roepen over brutaal zijn en meehelpen in huis – en toen, nou ja, toen was er dus geen redden aan en móést Isa wel. (Die stomme Nienke zei haar gedag met zo'n irritante lach op haar gezicht, weet je wel, en er was niets dat Isa ertegen kon doen...)

Dus nu trapt ze zich helemaal de blubber naar de groenteboer – die zit dichterbij dan de supermarkt, en ze hebben er ook suiker, gelukkig. Isa's ademhaling wordt zwaar, ze voelt zich warm worden van alle actie. Maar het kan haar niks schelen als ze begint te zweten of zo. Ze moet:

1) fietsen
2) suiker scoren
3) en thuiskomen

BINNEN vijf minuten.

In de verte ziet ze dat het stoplicht op groen is gesprongen. Ze sjeest door de Koninginnelaan – als ze geluk heeft kan ze het nét halen. Vier, vijf auto's gaan erdoorheen, de brommer is al lawaaiig opgetrokken en er rijdt een moeder met een kindje achterop, plus een groter kind naast haar.

Isa crosst – haast, haast – op haar fiets. Haar ogen zijn gericht op het groene licht. Alsof ze het daarmee kan bezweren, alsof ze kan zeggen: 'Blijf op groen,' hihi, met zo'n zweverige stem weetjewel: 'Blííííjjjf op grrróéoennn!' En dat het ding dan precies doet wat zij zegt.

Ze bijt op haar tanden, ze voelt haar beenspieren werken en dan... springt het licht op oranje. En het is alweer rood. Shit.

Even schiet de gedachte door haar hoofd dat ze dóór zal rijden, maar daarvoor is het kruispunt op de Koninginnelaan echt veel te druk. Ze moet stoppen. En minstens anderhalve minuut verliezen aan dit stomme rode licht, waar ze strak naar blijft kijken. Alsof die lamp mogelijk kan bezwijken onder de druk van Isa's strenge blik, en sneller op groen zal gaan...

Het is niet echt alsof iemand op haar schouders tikt of zo, maar toch bekruipt Isa het gevoel dat er iets is. Zoals je dat wel eens hebt; het gevoel dat je wordt bekeken. Er is iets. Of iemand.

Ineens wordt ze zich ervan bewust dat ze haar mond open heeft laten hangen na het eindeloos herhalen van 'Shit, shit, shit...' Ze voelt hoe oncharmant ze eigenlijk tegen de fietspaal aanleunt (zodat ze niet hoefde af te stappen), en hoe krom haar rug is als ze zo zit. Ze kijkt opzij.

'Hé,' zegt een jongen meteen.

'Hm,' antwoordt Isa. Ze kijkt snel (en geschokt) weer naar het rode licht.

'Ahum,' kucht de jongen – het is zo'n kuch waarvan je niet weet of hij het expres doet, of dat hij misschien écht moest hoesten.

Hij heeft bruin krullend haar en van die grote, vriendelijke – eigenlijk iets te blije - ogen. Dat viel Isa meteen op. Ze kent hem niet, maar hij keek niet beschaamd weg of zo. Kent hij háár soms wel?

Als ze hem opnieuw (vluchtig) wil bekijken, vangt ze meteen weer zijn blik.

'Hé,' zegt hij opnieuw. Het lijkt wel alsof hij erop heeft gewacht!

'Hoi,' zegt Isa dan maar terug. In haar buik voelt ze dat ze giechelig wordt – maar dat is omdat ze eraan denkt hoe haar vriendinnen zullen reageren als ze dit straks op Ch@tgrlz vertelt. Dat is hun eigen geheime 'kletsplek' op het Internet, en ze spreekt er elke dag met Fleur, Sharissa en Kyra. Als ze vertelt dat ze *sjans* had.

Want één ding heeft ze wel geleerd: als een jongen zo naar je blijft kijken en gedag zegt, dan heb je dus sjans. Maar ze houdt zich in en begint niet te giechelen, al kan ze niet helpen dat er een glimlach om haar mond komt, en glinsters in haar ogen.

'Kennen wij elkaar?' vraagt ze dan toch nieuwsgierig.

'Wil je dat?' De jongen kijkt haar óók lacherig en zelfs een beetje uitdagend aan.

'Nee,' zegt Isa gauw. Ja, hallo zeg, wat moet ze anders?! Hij is toch haar type niet en bovendien is ze al verliefd op Julian.

Dan springt het stoplicht op groen en Isa sjeest er meteen vandoor.

‘Doei,’ hoort ze hem nog roepen, en ze zegt wel iets van ‘doeg’ terug, maar dat is vast te zacht om te verstaan.

Pfft – ze moet eigenlijk keihard lachen, als ze even later de groentewinkel uitstapt met het pak suiker in haar hand. Haha, die gozer van net wilde écht sjans met haar. Ja toch? Het is met dit soort dingen vaak zo moeilijk te zeggen...

Nou ja, nu eerst gauw TDQ kijken, en dan snel op Ch@tgrlz gaan. Horen wat de meiden ervan denken. Als ze maar niet zeggen dat Isa een melige appel is met te veel fantasie en eigendunk, want ze zag het echt goed, toch? Of bedoelde hij alleen maar aardig te zijn?

‘Hé,’ hoort ze weer als ze haar fiets van het slot haalt. ‘Heb je suiker gekocht?’

Het is diezelfde gozer met dat blije hoofd onder die blije krullen. Is hij haar gewoon gevolgd of zo?!

‘Hm,’ knikt Isa.

‘Heb je niet nodig hoor, ik vind je zo al zoet genoeg.’

Isa trekt haar wenkbrauwen op. Zie je wel! Nu weet ze het zéker! Stel je voor zeg. Sjans. Met háár! Isa Jonas, de Mannenverslindster. De Hartenbreekster. Hij-vindt-haar-al-zoet-genoeg, haha, wie verzint nou zoiets!

Gauw mompelt ze: ‘O. Oké, doei.’ En sjeest dan terug naar huis. Met een hoofd dat in de verbaasde stand blijft hangen, en een hart dat lacherige sprongetjes maakt.

Die gozer, haha, het is dat hij niet knap was, maar hij zag tenminste wél iets in háár – yes!

Die middag zijn de meiden op Ch@tgrlz het roerend met haar eens dat ze sjans had:

Kyyyyraaaa:

Je HaD mEt HeM mEe MoEtEn GaAn, sUkKeLig ApPeLtJe.

FlowerFleur:

Waarom? Ze is op Orlando hoor!

Kyyyyraaaa:

MaAr Ze WeEt ToCh HeLeMaAl NiEt Of HiJ oOk Op HaAr Is!

Sharissademooie:

Natrlk is Juli@n ook p Isa. Andrs krgt hij van *moi* een beuk!

Isaiszó:

Voortaan ben Ik geen melIg @ppeltje meer, en ook geen sukkelIge, Kyr@. Nee, Ik ben gewoon een *zoet* @ppeltje, hah@!

(Enneuh, Damian van TDQ, die had dus voor Jemima gekozen – precies zoals Isa hoopte, zucht...)

ch@tgrlz vraag 1

Voor dit boek heeft Nanda Roep 'haar' ch@tgrlz (dat zijn de meiden die zijn aangesloten op de Nieuwsbrief van www.chatgrlz.nl) uitgenodigd om een vraag in te sturen, zodat de 'echte' ch@tgrlz die konden beantwoorden...

Wat moet je doen als je verliefd bent op iemand, maar diegene jou aanziet voor een doodgewoon saai meisje??

FlowerFleur:
Ik zeg: als hij mij saai vindt, en hij neemt niet de moeite om mij beter te leren kennen, dan is hij dus niet de juiste persoon voor mij.

Isaiszó:
O, ma@r ik zou het heel j@mmer vInden als Orlando mij alleen ma@r als een s@ai meIsje z@g! Ik zou nIet weten w@t ik d@n moest doen!

Kyyyyraaaa:
DaN mOeT jE dUs DoEn WaT iK aLtIjD dOe: iK lAcH iK bIjVoOrBeElD nEt IeTs Te HaRd ZoDaT hIj VaN hEt LaWaAi VaNzElF oMkIjKt En MiJ zIeT sTaAn!

Sharissademooie:
Ik vnd dt je hm gewn moet ltn struikln als hij vrbij kmt. Dan kan hij nt meer om je hn!
Isaiszó:
Moet je horen wIe het zegt – jIj durfde Yor@m nIet eens a@n te kIjken toen hij bIj de Ijssalon kwam!
Sharissademooie:
Maar we hbben wel teznd – zcht... Dnk je dt hij verlfd op me is?
FlowerFleur:
Misschien is het een idee om kleuriger kleren te gaan dragen? Dat is alvast minder saai, toch?
Kyyyyraaaa:
En NaTuUrLiJk AlTiJd MaKe-Up!
Isaiszó:
MisschIen, misschIen...

...en we hebben een échte deskundige bereid gevonden om óók antwoord te geven op vragen van de chatgrlz!
Sybille Labrijn is relatietherapeute voor volwassenen, en schrijfster van boeken als 'Nu alleen de liefde nog...'.

de liefdestherapeute

Doodgewone, saaie meisjes zijn niets minder dan hartstikke leuke meiden die zich onopvallend gedragen en – vaak uit angst dat anderen hen raar vinden – contact uit de weg gaan. Kom tevoorschijn!

Zeg 'Hoi', lach naar hem, maak een praatje, vraag naar zijn mening of toon belangstelling. Wees niet bang dat je je aanstelt. Mensen, dus ook jongens, vinden het in het algemeen fijn als iemand leuk tegen ze doet.

Meiden doen vaak het tegenovergestelde. Ze zijn bang

dat de verliefdheid in neonletters op hun voorhoofd staat en verstoppen zich zodra hij maar in de buurt komt. Dat doen ze heel onopvallend: door naar van alles en iedereen te kijken behalve naar hem. Door niets te zeggen, ook niet als hij iets vraagt. Door net te doen alsof je hem niet meer kent. Door druk met iedereen te praten behalve met hem.

En ze zijn vervolgens verbaasd en verontwaardigd als hij hen niet ziet staan.

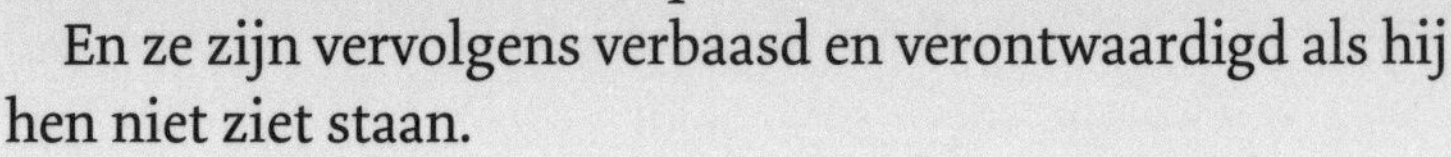

Het is gemakkelijker gezegd dan gedaan: iets leuks tegen Hem zeggen als je daar staat, smeltend, met vlinders in je buik, een hoofd als een boei, knieën die van kauwgom blijken te zijn.

Een trucje: dat wegsmelten gebeurt vooral als je je alleen afvraagt hoe je op hem overkomt. Het helpt als je je in plaats daarvan op jezelf richt. ‘Wat vind ik van hem?’ (Domme vraag, je vindt hem geweldig). Er zijn genoeg andere vragen: wat vind ik van de kleren die hij vandaag aan heeft, net zo cool als die van gisteren? Hoe is zijn stemming? Wat is hij aan het doen? Welke vrienden heeft hij bij zich en vind ik ze leuk? Dan beoordeel je zelf in plaats van dat je op ‘examen’ bent.

Waarschijnlijk voel je je dan minder opgelaten en is het gemakkelijker om contact te leggen.

Het sexy rokje van 'Isa de Boosaardige'

Op het bankje voor de Hema zit een groepje jongens met elkaar te dollen. Ze zijn tussen de dertien en zestien jaar, schat Isa, en niet van haar school. De jongens hebben haar en haar nichtje Kyra gelukkig niet in de gaten, want Isa wordt altijd zo zenuwachtig als vreemde jongens grapjes gaan maken...

Maar Kyra is zo dus niet. Welnee, die roept gewoon snoeihard: 'Zooo, jongens!'

En – poef – Isa is al rood geworden. Zo gemakkelijk gaat dat.

Kyra lacht haar verleidelijke lach naar de jongens. Ze zwaait haar blote armen in de richting van de arme Isa, die nu paniekerig denkt, hóópt, nee *smeekt*: 'Laat mij er alsjeblieft buiten, ohelp, laatmijerbuiten!'

Dan zegt Kyra het ergste van het ergste, namelijk: 'Wat vinden jullie van haar rok?' En Isa zakt officieel door de grond...

Vandaag is namelijk de allereerste keer dat Isa een korte rok aan heeft. Nee, dat is natuurlijk niet waar; ze heeft op de basisschool zo vaak een rok of jurkje gedragen. Maar dit rokje is een échte rok, een puberrok, hij is zeg maar *sexy*.

Het klinkt misschien stom, maar het voelde toch alsof ze opnieuw moest leren lopen. Want ja, wat moet ze nou: met haar heupen wiegen zoals in de film? Benen juist extra dicht bij elkaar houden? Waarom vertelt niemand dat soort dingen erbij? Ineens let ze erop dat ze haar voeten netjes neerzet, want anders is het geen gezicht onder zo'n sexy rokje. Toch?

Bij Kyra thuis, voor de spiegel, vroeg ze zich af of haar knieën misschien te knokig waren, maar volgens Kyra maakte dat allemaal niet uit. (Dat ze begon te gapen omdat Isa zo lang bleef twijfelen, maakte Isa's zelfvertrouwen er trouwens niet beter op...)

Kyra vindt deze kleren niks bijzonders, want die draagt elke dag rokjes die kort, en liefst nóg korter zijn – omdat ze dan meer aandacht van jongens krijgt, al zegt ze zelf dat ze het heus niet om die reden doet.

Toen Kyra de deur uitstapte en zei dat ze chips gingen kopen, durfde Isa niet terug naar boven voor haar spijkerbroek. En, eerlijk is eerlijk: ze was stiekem wel nieuwsgierig naar hoe het zou zijn om op straat te lopen in zo'n sexy outfit.

En... nou ja, het is dus zo:

Aan haar *linkerkant* staat Kyra, die charmant naar de jongens lacht, en nog altijd de aandacht op Isa vestigt.

Aan haar *rechterkant* zit een groepje jongens op een bankje haar van top tot teen te bekijken.

Vóór Isa lopen allerlei mensen te winkelen.

Achter Isa gaan verschillende huismoeders en een paar schoolkinderen. (Laat Orlando er niet bij zitten, please!)

De jongens stoten elkaar lacherig aan, en eentje zegt: 'We vinden vooral die witte benen zo leuk staan bij dat rode hoofd...' – daarna liggen ze met zijn allen in een deuk.

En in het *midden*, daar staat Isa zelf. In de hoofdrol.

Haar Knokige Knieën trillen van de zenuwen, maar ze doet dapper haar best om zo cool mogelijk te kijken, of op z'n minst toch onverschillig. Dat ze onzeker is, is al lastig genoeg; zo'n clubje stomme jongens moet niet denken dat ze haar zomaar kunnen uitlachen! Wat denken ze wel!

Hoe langer ze lachen, hoe meer irritatie Isa voelt. Stel je voor dat Orlando dit zou zien – dan zijn haar kansen meteen verkeken door zulke stomme jongens. Nee, dat wil ze niet!

Hoe moest het ook alweer, lieve help, hoe trek je een gezicht alsof het je allemaal niks kan schelen? Alsof je níét vreselijk voor lul staat?

Je wenkbrauwen gaan een stukje (arrogant) omhoog...

Je mond moet een streep zijn, net zo ontspannen alsof je teevee zit te kijken...

En je ogen, daar gaat het om. Die mogen niets verraden van de stress in je binnenste. De blik in je ogen moet zeggen: mij kan het niet schelen. Het helpt als je dat in jezelf zegt: mij kan het niet schelen, mij kan het niet schelen.

Maar dan zegt Isa het per ongeluk hardop: 'Mij kan het niet schelen.'

Meteen zegt één van die jongens terug: 'Mij wel, want ík moet er tegenaan kijken.' En opnieuw liggen ze allemaal in een deuk, alsof ze een groepje vijfjarigen zijn waarvan eentje een scheet liet.

'Nou,' antwoordt Isa zonder nadenken, 'dan gaan we toch weer verder?' En ze begint te lopen. Met knikkende, knokige knieën. In haar hoofd razen haar gedachten rond: Wat zei ik, watwashet, dan-gaan-we-toch-weer-verder, ja, datzeiik, datwasweloké, toch?

Maar ze zegt niets hardop – ze kijkt nu wel beter uit. Ze probeert nog steeds haar coole gezicht vol te houden. Ze geeft Kyra een korte knik met haar hoofd, waarmee ze wil zeggen: kom, we gaan door.

Kyra kijkt haar verbaasd aan, maar ze loopt wel mee.

'Hee, geintje joh,' hoort ze achter zich.

Isa fluistert dwingend tegen Kyra: 'Niet reageren, doorlopen!' Hoe meer ze de leiding neemt, hoe beter ze het kan. (Wauw, denkt ze blij verrast, maar dat laat ze natuurlijk óók niet merken!)

Misschien voelt Kyra zich schuldig dat ze Isa in deze situatie heeft gebracht, misschien voelt ze dat het Isa menens is, misschien zat er gewoon geen leuke jongen voor haar tussen, of misschien is ze te verbluft over Isa's plotselinge lef. Hoe dan ook: ze doet wat Isa zegt. Gelukkig...

'Je bent toch niet boos?' roept de jongen dan.

Hij krijgt geen reactie.

Even is het stil. (Op wat gelach van de andere jongens na.)

Dan klinkt het: 'Weet je wat, ik maak het goed met je.' Hij rent achter hen aan, Isa kan zijn voetstappen horen.

'Wacht nou even,' zegt hij. 'Ik maak het goed met je.'

Pas als hij naast haar staat, stopt Isa met lopen.

'Zeg maar wat ik moet doen.'

Isa haalt haar schouders op. (En ze houdt goed in de gaten dat haar ogen vertellen dat het haar 'niks' kan schelen – ook al staat ze van binnen te juichen!)

'Zal ik zeggen dat je er leuk uitziet, scheelt dat?'

Isa kan het niet helpen dat ze toch moet glimlachen tegen de jongen. Hij heeft bruine haren en die zijn zó geknipt dat ze in het midden een beetje omhoog staan. Zijn lach is ook superlief – het is dat ze Orlando al zo leuk vindt, want anders...

'Weet je wat,' zegt hij. 'Ik koop een ijsje voor je. Goed? En voor je vriendin ook een.'

'Lekker!' zegt Kyra.

'Maar het wordt wel een kinderijsje, want anders heb ik niet genoeg geld.'

Nu knikt Isa ook dat ze het goedvindt, en zodra ze het ijsje hebben gekregen, zwaaien ze de rest van het groepje gedag.

De jongens roepen dingen als 'En wij dan?' tegen hun vriend, en beginnen alweer met elkaar te lachen en stoeien...

Die avond zijn de meiden op Ch@tgrlz vol verbazing én bewondering:

Sharissademooie:

Haha, ik wou dt ik rbij ws! Goed gedn wffie!

FlowerFleur:

Dat je dat zomaar durfde, ik was denk ik in huilen uitgebarsten.

Isaiszó:

Ik durfde het óok helema@l nIet, het gebeUrde gewoon!

Kyyyyraaaa:

DiE nIcHt VaN mIj In D'r KoRtE rOk – Zo StoEr! MaAr Je HaD 'm WeL mEe UiT mOeTeN vRaGeN.

Isaiszó:

HIj was wel een leUkie, j@.

FlowerFleur:

Net zo leuk als Orlando?

Isaiszó:

Nee, zo leuk, d@t bestaat nIet! ;-)

Kyyyyraaaa:

MaAr OrLaNdO dUrF jE

nIeT tE vRaGeN, tErWiJl Je DeZe MeTeEn OnDeR dE dUiM hAd!

Sharissademooie:

Ik vnd dt Kyra glijk hft; deze deed tenmnst wt jij wlde!

FlowerFleur:

Maar ik vind het juist romantisch dat ze verlegen is bij Orlando. Dat is toch veel spannender?

Isaiszó:

PrecIes! Ik blIjf lekker bIj mijn eIgen mooie Orlando. En in de tussentIjd hou ik me gewoon een beetje bezIg met Ijsjes aftroggelen van @ndere knappe jongens, hah@!

(Maareuh... d@t rokje doe Ik natuurlIjk nooit meer a@n!)

ch@tgrlz vraag 2

Als je iemand leuk vindt, en je weet dat hij jou ook leuk vindt, moet je hem dan verkering vragen, of niet? Stel je voor dat hij toch 'nee' zegt? Wat moet ik doen? (Dit is echt!)

Kyyyyraaaa:

Je MoEt GeEn SeCoNdE tWiJfElEn En HeM nU mEtEeN nOg BelLeN! NeE: gA lIeVeR nAaR zIjN hUiS eN bIeD hEm Je LiEfDe Aan!

FlowerFleur:

Meent ze dat? Nee toch, hoop ik?

Isaiszó:

Ik vrees v@n wel...

Kyyyyraaaa:

NaTuUrLiJk! ;-)

Sharissademooie:

Dt is ht allrdmste dt je knt doen – strks lcht 'ie je uit en verlt het aan al zijn vrnden!

FlowerFleur:

Ja, dat lijkt me ook. En dan zit jij je de rest van je schooltijd rot te schamen. O nee, hoor, ik zou mezelf echt wat aandoen!

Isaiszó:

Als ik weet d@t hij mIj ook leuk vIndt, zou ik hem wel eens dUrven vr@gen hóe leuk hij mij precies vIndt, denk ik. Gewoon, @lsof het een gr@pje is.

Kyyyyraaaa:

LaFaArD!

FlowerFleur:

Ja, net alsof je een grapje maakt, dat klinkt beter.

Sharissademooie:

Maar dn loop je ng stds de kns dat hij zgt dat ht geen grp was, en dn sta je nog stds voor ll!

Isaiszó:

Ja, het lIjkt erop d@t het sowIeso rIskant is om erover te begInnen.

FlowerFleur:

Brr, eng hoor...

Isaiszó:

Maar ja, anders kan je nooIt iets vr@gen, en je wIlt het op een gegeven moment toch wel weten...

de liefdestherapeute

Dit is een lastig probleem waar volwassenen op hoge leeftijd nog mee kunnen worstelen. Toon je je gevoelens en loop je het risico gekwetst te worden? Liever niet. Maar als je het niet doet, loop je misschien verkering mis.

Persoonlijk vind ik het heel belangrijk dat je er trots op bent dat je iemand leuk vindt, dat je beseft dat jouw verliefdheid iets moois is.

Jongeren en helaas ook veel volwassenen, menen dat verliefdheid pas dan telt als het wederzijds is. En als het niet wederzijds is, zou het ineens iets belachelijks zijn waar je je voor moet schamen of waarmee je voor schut staat.

Daar ben ik het dus absoluut niet eens.

Het feit dat je je hart open kunt stellen, dat je door iemand geraakt kunt worden, dat je om iemand geeft en op den duur van iemand kunt houden... dat zijn heel belangrijke, waardevolle eigenschappen. Dat kun je toch maar mooi. Daar wordt de wereld beter van. Daar word je zelf een mooier en gelukkiger mens van, ook als dat je af en toe hartzeer oplevert.

Als je daar nou aan denkt, en je vraagt verkering aan iemand die 'nee' zegt, dan doet dat nog steeds heel veel pijn. Maar je hoeft je niet te schamen over jezelf. Helemaal niet! Het is absoluut geen bewijs dat jij niet OK bent.

Dat je van iemand houdt is niet belachelijk, dat je iemand haat wel.

Een schrale troost: er zijn bijna geen mensen te vinden, ook niet onder de allermooisten, allerleuksten, allerberoemdsten, die nooit hebben meegemaakt, dat iemand waar ze smoorverliefd op waren, 'nee' zei. Je hart is gebroken, maar je komt eroverheen.

'Isa het Poephoofd' wordt mee uit gevraagd

Isa weet inmiddels precies hoe het moet op de kinderboerderij van Fleur, namelijk: met de stalen schep een flinke hoeveelheid dierenvoer uit de emmer pakken, en die met een weids gebaar strooien, stróóien, stroooooooien!

Hihi, zesa voelt zich net een ballet dansende boerin, als ze in de regenlaarzen van Fleur helpt om de dieren te verzorgen. Ze zit er lekker in vandaag. Het gaat zo goed, dat ze zich even afvraagt of ze niet écht een boerin moet worden. Of het misschien haar roeping is.

Zo charmant als ze de emmer aan haar arm draagt, zo gracieus als ze het voer met een grote boog over de aarde uitstrooit... zo kordaat stapt Isa – FLATS – in een koeienvlaai...

Ze glijdt zó ver door, dat ze in haar lies iets voelt verrekken. (Auw.) Dan knalt haar linkerknie ineens keihard op de aarde. (Auw!) Maar haar rechterbeen roetjst nog een stuk door. (Auwauw!) Totdat haar bil met een lichte klap op de grond ketst. (Auwww.) En ze voelt haar linkerkant warm en kleverig worden. (Shit...)

Meteen begint Fleur te lachen: 'Haha, Isa, ik zag je er al op af lopen!'

Maar Fleur is niet de enige. Oók alle kindertjes die met hun ouders, vriendjes, opa's en/of oma's op de kinderboerderij zijn, liggen in een stuip. 'Haha,' doen ze, maar in Isa's hoofd klinkt het als: hahahahaHAHAHAHAHA!! Ze schaamt zich dood...

In haar hoofd komen allerlei mogelijkheden voorbij om zich een houding te geven. Zal ze:

a) in huilen uitbarsten?
b) roepen dat iedereen z'n kop moet houden?
c) zich gauw in Fleurs huis verstoppen?

Maar wat ze doet is:

d) gewoon maar óók keihard lachen om zichzelf!

'Oeps!' roept Isa veel te hard. 'Zit ik even in de shit!'

'HahahaHAHAHAAAAA!!' klinken opnieuw de kindertjes die zich om haar heen hebben verzameld.

Uit haar ooghoeken ziet Isa dat een aantal kinderen hun moeder en/of oppasjes meetrekt naar de 'plaats van het ongeval'. Ze lijkt wel een circusattractie...

Fleur is naast haar gaan zitten en helpt haar aan haar arm omhoog. 'Doet het zeer?' fluistert ze bezorgd. 'Sorry dat ik moest lachen, ik-'

Maar Isa sust dat het al goed is. 'Waarschijnlijk zou ik óók gelachen hebben.'

‘Iedereen staat verdorie naar je te kijken.’

‘Geeft niks, zou ik ook gedaan hebben.’

Isa probeert er vooral tegenover Fleur niet té dramatisch over te doen dat ze voor het oog van tientallen kinderen (én volwassenen) languit in de poep van het nieuwe kalf Betsy terechtkwam.

Fleur kan zo onzeker zijn. Daarom wil Isa aan haar laten zien dat je ook *luchtig* met gênante situaties kunt omgaan. (Al bedoelt ze met ‘luchtig’ natuurlijk iets anders dan wat Betsy zojuist heeft verspreid!)

‘Kom, we gaan naar binnen,’ zegt Fleur.

‘Oké.’

Hoewel Fleur doet alsof ze haar ondersteunt (wat trouwens helemaal niet nodig is), merkt Isa dat ze stiekem toch een beetje afstand houdt. Want ja, die heeft natuurlijk geen zin om óók onder de koeienstront te komen!

‘Kijk eens naar dat poephoofd,’ roept een jongetje van een jaar of zeven (dat dus – *by the way* - ongelooflijk brutaal doet). Hij wijst naar de jongen van dertien of veertien die naast hem loopt, en zegt: ‘Dat lijkt me wel een goeie vriendin voor jou.’

‘O ja?’ zegt de jongen met een lach om zijn mond.

Hij heeft donkere, bijna zwarte haren, en een vrolijk gezicht. Zijn handen zitten in de zakken van zijn jeans, en hij draagt een korte zwarte jas.

Het ventje van zeven knikt uitdagend. ‘Helemaal jouw type. Lekker poep op d’r broek en zo.’

Het kleintje gedraagt zich giechelig, alsof hij de grote jongen eigenlijk aan het uitdagen is om te gaan stoeien. Zo loopt hij er trouwens ook bij – alsof hij ieder moment moet kunnen vluchten, zodra de grote jongen op hem afspringt.

‘Is dat zo?’

De jongen bekijkt Isa nu van top tot teen. Haar regenlaarzen, de bruine smurrie op haar broek, haar T-shirt (ook vies) en haar haren die helemaal door de war zijn geraakt. Eigenlijk vindt ze dit nog veel erger dan zichtbaar voor iedereen door Betsy's 'koeiencadeautje' glijden. Want ja, hoe moet ze nou reageren? Iemand staat haar te keuren alsof zíj de koe is, en er is niets dat Isa ertegen kan doen – hellup!

Langzaam voelt ze het paniekgehalte in haar buik toenemen. Haar gedachten beginnen te ratelen: Wat moet ik doen, watmoetikdoen? In ieder geval Niet Nog Eens Uitglijden, dat weet ze wel – maar juist als je stevig op je benen moet staan, beginnen je knieën te knikken – zal je altijd zien.

Dat stomme jong uit Kinderland heeft háár uitgekozen als slachtoffer om grapjes mee te maken (en ze was al zo zielig...), had hij soms niks beters te doen?

Isa kan gewoon *voelen* dat ze bekeken wordt door die oudere jongen. Ze merkt het aan de glazige, stiekeme blik die in zijn ogen ligt. Aan het feit dat hij een beetje slenterend in haar buurt blijft. Maar vooral aan de woorden die hij uitspreekt: 'Mijn neefje vindt dat jij wel wat voor mij bent.'

'O ja?'

Het kleine kereltje (dat nu een irritante aanwezigheid begint te worden) knikt: 'Omdat je broek onder de poep zit.'

'Je vergeet de poep onder mijn schoen.' Isa tilt haar voet hoog op, zodat het jochie het kan zien. 'Kijk maar.'

Het jongetje schudt zijn hoofd, en doet vlug een paar stapjes dichter naar zijn ouders. Zijn grote neef – want kennelijk zijn ze dus neven – moet hardop lachen.

'Haha, durf je niet te kijken, joh?

'Nee, haha,' lacht Isa mee. 'Je kan wel zien wie hier écht de schijterd is.'

De jongen lacht nu hardop. 'Een schijterd, haha, hoor je dat Dimitri?'

'Ja, Dimitri, je bent een bange poeperd!' Isa draait zich lachend om en loopt weer verder in de richting van Fleurs huis.

'Maareuh...' De jongen kucht. 'Wil je echt niet met me uit?'

'Ik?' Isa kijkt verbaasd omlaag naar zichzelf in haar besmeurde kleren, alsof ze wil zeggen: hallo, ik zit onder de poep, hoor!

De jongen haalt zijn schouders op. 'Tsja, *hij* zei dat je wel wat voor mij zou zijn, ik moest het van *hem* vragen.'

Isa kijkt eerst naar het irritante kleine neefje, en dan weer naar de Grote Neef. De vrolijke lach op haar gezicht verandert in een blik van verbazing. Ze schudt haar hoofd: 'Ik moet me nu echt gaan wassen', en draait zich opnieuw om.

Fleur loopt pal naast haar. Ze fluistert zo zacht ze kan: 'Vroeg hij je nou écht mee uit?!'

Isa probeert zo min mogelijk te bewegen als ze stilletjes antwoordt: 'Ik weet het niet zeker, jij?'

'Het leek er wel op.'

'Wie vraagt er nou een meisje uit, als ze net een *sliding* door Betsy's poep heeft gemaakt?'

'Hihihi.'

Die avond bespreken de meiden het voorval met hun vriendinnen op Ch@tgrlz:

Isaiszó:

Ik weet nIet eens of hIj het meende.

Kyyyyraaaa:

MaAkT tOcH nIeT uIt? Je HaD jA mOeTeN zEgGeN!

Isaiszó:

En dan uItgel@chen worden zeker! Echt nIet hoor, ik vond één lullIge situatIe op een d@g wel genoeg!

Sharissademooie:

Vnd ik ook, ze hdden je zkr wtn keihrd uitgelchn.

FlowerFleur:

Het was trouwens wel heftig toen alle kinderen zo stonden te lachen. Ik denk dat ik was gaan huilen!

Sharissademooie:

Mr jij mt overl om huiln.

Isaiszó:

D@t is nIet wa@r Shris! Enneuh... ik schrok me wel rot hoor, toen Iedereen zo deed!

FlowerFleur:

Maar je reageerde echt fantastisch door zélf grapjes te gaan maken.

Kyyyyraaaa:

DaAr ViEl HiJ nAtUuRlIjk VoOr – DiE GraPjEs!

Isaiszó:

Hij m@g best voor me v@llen, ma@r nIet als Ik zélf @l ben gev@llen – en dan bedoel ik heus nIet de poep hoor, ik bedoel natuurlIjk Orlando!

FlowerFleur:

Ja, haha!

ch@tgrlz vraag 3

Hay,
Mijn vraag is misschien een bekende vraag, maar kan een jongen je beste vriend zijn? Ik vind eigenlijk van wel, maar ik weet niet of dat wel echt zo is. Mijn vriendjes zijn vaak jaloers op

hem, terwijl hij ergens bij A. woont en ik in N., en hem vrijwel nooit echt zie. Dat is zo verschrikkelijk vervelend, vragen ze zo van: Heb je iets met hem gehad, heb je met hem gezoend, vind je hem leuker dan mij enz. enz.

Isaiszó:
Ik vInd d@t je met jongens wel gewOOn vrienden moet kunnen zIjn.
Kyyyyraaaa:
DaT lUkT mIj NiEt HoOr, WanT iK wIl AlTiJd MéEr!
Sharissademooie:
Met jngns kan je tnmnste lkkr stoeien en vchten.
Isaiszó:
Doe jij d@t, Sharis?!
Sharissademooie:
Ntrlk! Lkkr mijn enrgie evn kwt!
FlowerFleur:
Je 'agressie' zal je bedoelen.
Isaiszó:
LIever met kl@sgenoten dan met mIj!
FlowerFleur:
Ik wil ook wel vriendschap met jongens, maar ik vind het juist vervelend dat ze dan verliefd kunnen worden. Ik wil graag zeker weten dat er *niks* hoeft te gebeuren.
Kyyyyraaaa:
TeRwIjL dAt Er NoU nEt Zo LeUk aAn Is, dIe SpAnNiNg!
FlowerFleur:
Voor mij niet, hoor, ik ben liever bevriend met meisjes.
Isaiszó:
Maar als Orl@ndo een beste vriend*IN* had,
zOu ik denk Ik óók jalOers zijn.

Sharissademooie:
Je hbt gelk: daar moet ik nt aan dnken!
Kyyyyraaaa:
AlS hIj EeN bEsTe VrIeNdIn HeEfT? PfFt... DaAr WiN iK hEuS wEl Van!

Isaiszó:
Ik zou er wel Onzeker v@n worden!
FlowerFleur:
Hmm... ik niet, hij heeft toch verkering met míj en niet met háár?
Isaiszó:
We kOmen er zo nIet echt uit, meIden.
Kyyyyraaaa:
Ik DeNk DaT hEt GeWoOn PeR pErSoOn VeRsChIlLeNd Is.
Sharissademooie:
Mr ik wil zlf wél grg met mijn vrndn op het plein blvn knokkn.
FlowerFleur:
Nee, dat mag dan natuurlijk óók niet!
Isaiszó:
Zie je wel; het Is een l@stige vraag...

de liefdestherapeute

Ik ben het met Isa en Sharissa eens. Natuurlijk kan een jongen je beste vriend zijn. Je bepaalt toch zeker zelf wie je beste vriend is?

Ik snap de vriendjes die jaloers zijn ook wel. Ze zijn onzeker over hun positie. Als je verkering hebt, wil je de allercoolste zijn voor je vriendin. Een beste vriendin, dat snappen ze wel. Maar zo'n Beste Vriend, kunnen ze daar wel tegenop? Om wie geef je meer? Wie kent jou het beste? Wie ziet jou het vaakst?

(Geef je vriend dus af en toe een extra knuffel, laat hem merken dat je hem echt, echt speciaal vindt).

Vriendschappen tussen een jongen en een meisje worden naarmate je ouder wordt vaak ingewikkelder. Wat dat betreft hebben Kyra en Fleur ook gelijk.

Niet alleen je vriendje, maar ook anderen en misschien ook wel je beste vriend vragen zich af: is er meer? Zijn ze echt niet verliefd? Ze weten niet hoe ze die vriendschap moeten zien.

Er zullen misschien periodes komen waarin je jezelf afvraagt: het is zo'n leuke jongen, waarom is er niet meer? Voel ik niet toch stiekem iets en ben ik te verlegen om het toe te geven? Ik heb vaker meegemaakt dat zo'n vriendschap later een hele mooie liefde werd.

Kortom, in de tijd dat je 'alleen' (alsof dat niet al heel wat is) goede vrienden bent, helpt maar één ding: duidelijk zijn in hoe het is, voor jezelf en je omgeving. Ten opzichte van je beste vriend: duidelijk zijn in wat je wel en niet wilt.

Een zoen voor 'Isa de Dierenvriend'

Oei, wat kan Sharissa toch opgefokt zijn als ze de hele dag op de tweeling heeft gepast. Ze móést natuurlijk van haar moeder per se oppassen, en de kleintjes luisterden natuurlijk voor geen meter. Misschien hebben ze weer de halve dag liggen vechten of janken, dat is altijd het ergste...

In ieder geval is Sharissa er flink chagrijnig van geworden, pfft, Isa durft amper iets te zeggen omdat ze bang is Sharissa boos te maken!

Eerst had Isa veel zin om samen naar de koopavond te gaan. (En hopelijk Orlando tegen te komen!) Maar toen ze Sharissa om 18.50 uur ophaalde, zag ze al meteen dat donderwolkje boven haar hoofd - en Isa vreesde dat het weleens een hééél lange koopavond kon worden!

Inderdaad: het is nog maar 19.33 uur, maar het lijkt alsof ze al úren met het schaamrood op haar kaken loopt. En maar vergoelijkend glimlachen naar andere mensen... en maar duimen dat Orlando haar niet zal zien... Of nee, ze wil hem *wel* zien, als hij dan maar *niet* denkt dat ze net zo is als haar vriendin!

Tot nu toe heeft Sharissa al drie dingen gedaan waarvoor Isa zich schaamde, namelijk:

19.01 uur: De fiets die op hún plekje stond (ze zetten hun fietsen altijd bij Cool Cat), heeft ze zo boos en hardhandig opzij gezet, dat die luid kletterend omviel. Sharissa haalde haar schouders op en maakte haar eigen fiets stevig aan de lantaarnpaal vast.

Maar Isa niet, nee, die schrok zich rot van de brutaliteit en werd knalrood. Ze keek angstig om zich heen om te zien of de eigenaar van de fiets misschien woest op hen af kwam stormen...

19.08 uur: De deur van de Hema liet Sharissa gewoon dichtvallen terwijl er een moeder met kinderwagen vlak achter hen liep. Die vrouw riep 'Hé!' omdat ze maar net kon voorkomen dat de deur tegen haar kindje klapte.

Isa schrok zich rot en lachte toen maar wat schaapachtig omdat ze anders niks wist te doen. Maar die vrouw werd daar heus niet minder pissig van, welnee, ze keek juist met bliksem-ogen naar Isa! (Die toen maar weer gauw weg-keek...)

En Sharissa? Die stampte al door de gangpaden van de Hema, met een norse blik op haar gezicht.

19.19 uur: In de rij voor de pashokjes bij H&M stond Sharissa hardop te zuchten en steunen dat het zo lang duurde. Dat de mensen binnen zeker stonden te slapen, en dat ze bij H&M alleen maar 'trage koeien' bij de pashokjes zetten om de kleren te tellen die iedereen mee naar binnen of buiten nam.

Sharissa

Isa twijfelde hier of ze zou weglopen en hun hele koopavond-uitje voor gezien zou houden. Maar ze was bang dat Sharissa nóg bozer zou worden als ze wegliep, en dat die dan midden in de winkel keihard zou beginnen te schreeuwen tegen haar. Dus stond ze maar een beetje bij de rij te doen alsof ze er niet écht bij hoorde. En te duimen dat áls ze Orlando tegenkwam, het toch alsjeblieft niet hier zou zijn!

Toen Sharissa eindelijk, eindelijk aan de beurt kwam (en de verkoopster er expres dubbel zo lang over deed om haar zo'n plastic plaat mee te geven), stond ze veel te hard te zeggen dat die truitjes van H&M nooit eens geschikt waren voor dikke tieten of meiden met een dikke reet. Het was, o, echt té erg.

Maar toen wist Isa natuurlijk nog niet dat over een minuut of tien pas echt Heel Erg Erg zou worden...

Na de H&M-ramp kreeg Isa het briljante plan om Sharissa een ijsje aan te bieden. Voor het eerst keek Sharissa blij verrast op, en ze zei zelfs dat ze het een goed idee vond. 'Kunnen we even zitten,' zei ze. 'Want ik heb zo'n koleredag gehad!'

Isa knikte dat ze het begreep. Ze wilde Sharissa tijdens het eten van het ijsje lekker laten uitrazen over de tweeling, haar kleuterbroertje en -zusje waar ze veel te vaak op moet passen. En als ze zich dan weer wat beter voelde, zouden ze verder gaan in de richting van McDonald's, waar Isa hopelijk Orlando met wat vrienden zou tegenkomen.

Om 19.28 uur stapten ze dus naar buiten, de winkelstraat in.

'Wat is het toch altijd druk op die rottige koopavonden,' mopperde Sharissa.

Om 19.31 uur sloten ze achteraan in de rij voor de ijs- en patatkraam.

'Is er nou niks te vinden waar we even níet in een rij hoeven?!' zei Sharissa geïrriteerd.

En nu, om 19.33 uur, als Isa bedenkt dat ze zich vanavond al drie keer rot heeft geschaamd, komt er iemand achter hen staan. Een oude jongen is hij, of misschien moet je al zeggen dat hij een man is. Een jónge man dan. Van ongeveer twintig jaar, denkt Isa. En hij heeft een hondje aan een lijn, een mini-variant van een terriër.

Om 19.34 krijgt Sharissa last van haar schoen, en om 19.35 uur doet ze een stap te ver naar achteren – en buitelt achterover op de grond... met haar dikke billen boven op dat kleine zwartgevlekte diertje.

'Kai, kai!' gilt het hondje geschrokken.

'Auw! Fok!' schreeuwt Sharissa boos, nee, wóést. 'Kan je dat rotbeest niet bij je houden?!' Ze schopt met haar voeten in een boze poging om los te komen van de lijn waarin ze verstrikt is geraakt.

'Tarko!' roept de eigenaar geschrokken.

'Sharissa!' zegt Isa in paniek.

Maar Sharissa heeft zo'n afschuwelijke rotbui, die is alleen met zichzelf bezig. Ze heeft niet in de gaten dat ze eerst Isa tegen d'r schenen raakt met haar geschop, maar wat veel erger is: het witte, vlekkerige beestje krijgt óók nog een trap. Terwijl het al kermend op de grond lag van toen hij Sharissa's val had gebroken. (En wie weet zijn ruggetje ook wel!)

Shit, denkt Isa, of misschien roept ze het hardop: 'Shit!' Ze hurkt naast het zielige diertje en schreeuwt: 'Sharissa, hou verdorie je benen stil!'

Verbaasd doet Sharissa meteen wat Isa zegt. (En dat is haar geraden ook!)

Isa aait het beestje over zijn koppie zoals ze het Fleur wel eens zag doen op de kinderboerderij, toen een van de konijntjes ziek was. Ze strekt haar armen boven het hondje, zodat niemand dichterbij komt, of per ongeluk op hem stapt.

'Je moet de dierenambulance bellen,' zegt ze.

'De wat?' De blonde jongen/man pakt zijn mobiel uit zijn leren jas.

'Het nummer is 0900-0245.' Ze kijkt Sharissa aan en zegt: 'Zulke nummers leer je vanzelf uit je hoofd als ze bij je ándere beste vriendin een kinderboerderij hebben.'

Sharissa knikt schuldbewust dat het maar goed is dat Isa vriendinnen is geworden met Fleur.

Isa zegt: 'Als je ooit weer zo chagrijnig doet, ga ik niet meer met je mee.'

Opnieuw knikt Sharissa. Ze kijkt de blonde man/jongen aan en fluistert: 'Sorry.'

'Je was ook zo agressief!' zegt hij.

'Ze heeft een rotdag gehad,' antwoordt Isa beslist.

De mensen van de ambulance voelen voorzichtig aan de rug van Tarko. 'Hmm,' zegt de man, 'ik denk niet dat die gebroken is.'

'Gelukkig,' zuchten Isa en Sharissa tegelijk.

Toch wordt het beestje voor de zekerheid op een kleine hondenbrancard in de dierenambulance gezet. Bij de dierenarts zullen ze hem verder onderzoeken, en iets geven tegen de pijn aan zijn kaak van toen Sharissa hem per ongeluk schopte.

Vlak voordat hij in de auto stapt, legt het hondenbaasje zijn hand op Isa's schouder. Hij kijkt haar dankbaar aan met reebruine ogen. 'Bedankt dat je het hoofd koel hield,' zegt hij. 'En dat je het nummer van de dierenambulance wist.'

Hij geeft haar een dikke, klinkende zoen op haar wang en verdwijnt dan met de dierenverzorgers in de ambulance.

Isa blijft achter, met een hoofd als een rode biet. Ze hoopt nog steeds dat ze Orlando vanavond zal tegenkomt, maar toch alsje-, alsjeblieft *níet* NU!

Die avond zijn de meiden op Ch@tgrlz óók supertrots op Isa:

FlowerFleur:
Ooo, het is een geluk dat je zo vaak bij mij thuis komt!
Isaiszó:
Da@rdoor wIst ik w@t Ik moest doen, echt w@ar hoor!
Kyyyyraaaa:

EnNeUh... DiE eIgEnAaR?
Sharissademooie:
Wl ze dt nu cht wtn?!
Kyyyyraaaa:
NaTuUrLiJk WiL 'zE' dAt WeTeN!
Isaiszó:
Hij g@f een hele z@chte volle lIeve zoen op mIjn w@ng!
FlowerFleur:
Ohoo, laat Orlando het niet horen!
Isaiszó:
We hebben Orl@ndo hela@s nIet meer gezIen, zUcht...
Sharissademooie:
Als je m een hndj gft, vl ik daar de vlgnd kr wel op, gd?
FlowerFleur:
Oh, dat is een flauwe rotgrap!
Sharissademooie:
Oké, srry, srry!
Isaiszó:
Ik heb geen zIelige hondjes nodIg om een zoen te krIjgen van Orlando. Let ma@r op, let ma@r Op...

ch@tgrlz vraag 4

Mijn vraag is: Waarom duurt het altijd zo lang tot een jongen je verkering vraagt?

Isaiszó:
Daar ben Ik het helema@l mee eens! Wanneer vra@gt Orlando me nu eIndelijk eens? ;-)
Kyyyyraaaa:
NoOiT, dAt ZeG iK jE! Je MoEt HéM vRaGeN, aNdErS gEbEuRt Er HeLeMaAl NiKs!

FlowerFleur:

Nee joh, ze zeggen toch dat jongens daar niet van houden? Van meisjes die zélf het initiatief nemen?

Kyyyyraaaa:

DaAr MeRk Ik AnDeRs WeInIg VaN, zE wIlLeN aLtIjD wEl, hOoR!

FlowerFleur:

Ze wíllen misschien wel 'iets', maar daarom willen ze nog niet meteen verkering – en daar gaat het nu om.

Sharissademooie:

Ik hb gn idee, echt helml gn idee. Mij wlln ze nooit voor lang.

Isaiszó:

Ohoo, d@t is nIet wa@r Shris!

Sharissademooie:

Ze zijn bng voor me.

FlowerFleur:

Maar je kunt ook zo boos doen.

Isaiszó:

Dat Is zo, ma@r toch is er heUs een jongen dIe nIet b@ng voor haar is, en die óók nIet probeert háár juIst b@ng te maken. Echt wa@r!

Kyyyyraaaa:

Op IeDeR pOtJe PaSt EeN dEkSeLtJe. SoMs MoEt Je AlLeEn hEt PoTjE eEn BeEtJe BiJ dE dEkSeL dWiNgEn.

FlowerFleur:

Ja, haha!

Sharissademooie:

Oftewl: het antwrd op de vrg is dat we het niet wtn?!

Isaiszó:

Ik vrees d@t we het Inderda@d niet weten, hela@s...

Er is een oud liedje van de Three Degrees, misschien ken je het wel: *Love don't come easy, you just have to wait...*

Het gaat erom dat je liefde en verliefdheid niet af kunt dwingen. Bij de één is het er op het eerste gezicht als in een bliksemschicht. Een ander twijfelt, wordt onzeker, is misschien wel verliefd maar moet heel veel moed verzamelen voordat hij ermee voor de dag komt...

Het is bovendien niet voor niets dat meisjes vaak op oudere jongens vallen en jongens op meiden die jonger zijn dan zij zelf. Meisjes lopen in sociaal opzicht vaak voor. Terwijl jongens op het voetbalveld hun krachten meten en meer dan meisjes bezig zijn met hun eigen prestaties, hebben meiden veel oog voor wie wie leuk vindt en of ze zelf in de smaak vallen. Ze leven mee met soaps op televisie. De muziek waar ze van houden is vaak romantischer dan wat een gemiddelde jongen leuk vindt. Kortom, voor een meisje is verliefd worden en verkering hebben veel minder een ver van mijn bed show dan voor de gemiddelde jongen.

Maar heb geduld, dat wordt beloond!

Uiteindelijk willen jongens net zo graag als meisjes verkering en willen ze het ook samen leuk hebben. En kan het plotsklaps gebeuren dat iemand voor je neus staat en verkering vraagt, van wie je dat nooit verwacht had.

Wat doe je dan?

Niet meteen 'nee' zeggen en niet meteen 'ja'. Zeg gewoon dat je het nog niet weet, omdat je daar nooit aan gedacht hebt. Zeg, als hij je wel leuk lijkt, dat je eerst nog vaker met hem wilt praten. En laat hem desnoods maar een tijdje lijden en wachten!

'Isa de Raadgever' krijgt een schok

Isa knippert met haar ogen, maar het helpt niet veel. Het voelt alsof ze een ui staat te schillen, én alsof iemand net zijn vinger in haar oog stak, én alsof ze de afgelopen zes uur met open ogen in chloorwater heeft gedoken. Alsof er ieder moment dikke tranen uit haar ogen gaan rollen, dus. Zo voelt het.

Maar het is: make-up.

En... eerlijk is eerlijk: hoewel haar ogen waterig aanvoelen en ze er honderd keer vaker mee moet knipperen, vindt Isa het wel bijzonder leuk dat ze opgemaakt op het schoolfeest staat.

Tijdens het feest:

Samen met Fleur kijkt Isa naar de dansende brugklassers. Ze hebben een glaasje cola in hun hand en dansen zelf niet – ze bewegen hooguit hun hoofd een beetje op de maat van de muziek.

Ergens is het jammer dat het schoolfeest alleen voor brugpiepers is. Want nu is het zeker dat Orlando er niet zal zijn (snik), en ook Fleurs broer Tijn mag niet komen – terwijl hij nog wel altijd zo gezellig is!

Fleur vindt het wel lekker om eens zonder haar broer uit te zijn, zegt ze. Vooral nu zijn beste vriend Delano haar niet probeert te versieren, kan ze eens ongestoord kijken naar de andere jongens van hun school!

Af en toe wijst Isa een jongen aan: "Vind je die leuk?"
Maar meestal schudt Fleur haar hoofd.
Soms zwaaien ze even naar iemand uit hun klas, en soms komt een klasgenootje bij ze staan om te kletsen.

Vóór het feest:

Op Ch@tgrlz waren de meiden druk aan het overleggen welke kleren Fleur en Isa aan zouden doen.

Sharissa koos voor het gele T-shirt met een glimmende vlinder voor Isa – maar Kyra wist niet meer welke dat was. Fleur moest van Sharissa haar lichtblauwe bloes met die kleine ruitjes aandoen – en alweer had Kyra geen idee hoe die eruitzag. Dus schreef Kyra: 'JulLiE mOeTeN dUs VoOr HeT fEeSt EvEn LaNgSkOmEn VoOr EeN sTiJlChEcK!'

Isa trok haar wenkbrauw op toen ze dat las, maar Fleur vond het meteen een goed idee. En ook Sharissa vond het een goed plan, die schreef zelfs: 'Jllie mtn het echt doen, zdat je strks niet vr gk staat.'

Opnieuw trok Isa achter haar computertje een wenkbrauw op, maar weer was Fleur enthousiast. Dus stemde Isa ook maar in, en meteen na het eten ging ze naar het huis van Kyra.

Samen met Fleur stond Isa op de stoep voor Kyra's huis. Zelf vond ze dat ze er allebei leuk uitzagen, en ze waren eerlijk gezegd ook een beetje giechelig – omdat ze zo'n zin hadden in het feest!

Kyra trok de deur wijd open en zei: 'Zie je wel, precies waar ik bang voor was.'

Ze greep Isa bij de hand en trok haar mee naar binnen en naar boven, richting haar kamer. 'Dag, tante Karin!' riep Isa maar in de richting van de woonkamer.

En vanuit de verte hoorde ze: 'Hé meissie, ben je hier?'

Eenmaal op haar kamer, deed Kyra snel de deur achter hen dicht en zei: 'Nu jullie op het Vossen College zitten, moeten jullie je wel als tieners gaan gedragen.'

O? Pardon? Wat bedoelde zij daar nu weer mee?

Isa knipperde met haar ogen, en ook Fleur wist niks te zeggen. Maar Kyra drukte hen allebei op de rand van haar bed en rommelde wat in een etuitje.

'Wat zoek je?' vroeg Isa – om maar wat te zeggen.

'Dit.' Kyra hield een zwart stokje omhoog. 'Oogpotlood.'

'Maar we hoeven ons toch niet-'

'Natuurlijk wel!' Kyra zuchtte. 'Zo'n feest, meiden, is natuurlijk bedoeld om de jongens uit je klas te laten zien hoe adembenemend mooi jullie zijn als je niet hoeft op te letten in de klas.'

Isa wachtte op het moment waarop Kyra om haar eigen woorden zou lachen, en iets als 'grapje' of zo zou zeggen, maar dat kwam helemaal niet. Welnee, in plaats daarvan legde ze haar hand op Fleurs schouder en zei: 'Omhoog kijken.'

Fleur deed wat Kyra zei (Kyra liet haar ook weinig ruimte om tegen te stribbelen), en Isa keek met grote ogen naar wat Kyra deed.

Die legde haar duim onder Fleurs oog en trok de huid zachtjes omlaag, totdat het randje van het oog, waar het traanbuisje zat, een beetje vrijkwam. Toen begon ze daar overheen te gaan met haar zwarte oogpotlood.

'Het kietelt,' zei Fleur.

Kyra knikte en begon aan Fleurs andere oog.

Toen ze klaar was, zat een druk knipperende Fleur op de rand van Kyra's bed.

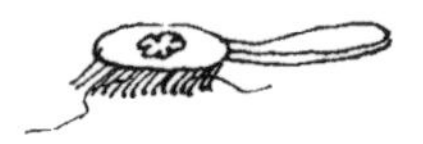

'Heb je een spiegel?' vroeg ze.

Kyra deed de deur van haar kledingkast open, en daar kwam een levensgrote spiegel tevoorschijn. Fleur kwam overeind en ging zó dicht bij de spiegel staan dat haar neus bijna tegen het glas kwam. 'Gek,' zei ze lachend.

Kyra knikte terwijl ze een mascararoller opende. 'Niet knipperen,' was het bevel.

Isa stond er weer met haar neus bovenop, en zag hoe Fleurs wimpers donker werden, en iets dikker. En hoe Fleur van haar verlegen vriendinnetje veranderde in een van de meiden die ze wel eens tegenkwam bij het winkelen – die eruitzien alsof ze veel zelfvertrouwen hebben. En vriendjes.

Tijdens het feest:

'Heb je die gezien?'roept Fleur in Isa's oor.

'Wie?'

Ze moeten keihard schreeuwen om boven de muziek uit te komen. Inmiddels staan sommige kinderen zich echt uit te sloven op de dansvloer. Bezweet zingen ze mee met de muziek, en maken rare danspassen met elkaar. Tegen de muur staan een paar stelletjes te zoenen. Fleur en Isa hebben elkaar er giechelig op gewezen.

'Die!' Fleurs stem slaat over. Ze wijst (zo onopvallend mogelijk) naar een jongen die tegen een paal aanleunt. Hij is ook bezweet en drinkt nu een cola terwijl hij met een brede glimlach naar de mensen op de dansvloer kijkt.

'Ooo, die is leuk!'

'Ja hè, dat is nou echt mijn type.'

'Je moet naar hem toe!'

'Ik? Nee joh!' Fleur begint keihard te lachen.

Isa lacht ook. 'Waarom niet?'

‘Dat durf ik toch helemaal niet!’

Isa neemt een slok van haar cola. ‘Maar hoe moet je het dan léren durven?’

Giechelig geeft Fleur Isa een por met haar elleboog. ‘Nooit.’

‘Luister.’ Isa pakt de cola uit Fleurs handen. ‘Jij gaat nu naar hem toe en vraagt of-ie met je wil dansen. Je zei net zelf dat je blij was om een keer zonder Tijn en Delano uit te zijn. Dan moet je wel je kans pakken.’

‘Ja? Vind je?’

Isa knikt.

‘Oké, ik doe het!’

En dan loopt Fleur op hem af. Op de jongen die tegen de paal staat te leunen. Soms roept hij wat tegen een vriend op de dansvloer, maar in het lawaai kun je echt niet verstaan wat.

Trots kijkt Isa haar na. Ze ziet hoe Fleur diep ademhaalt. Hoe ze hem op zijn schouder tikt. Ze vraagt iets aan hem. Hij verstaat het niet. Ze zegt het in zijn oor. Hij schudt zijn hoofd. En... verdwijnt zelf naar de dansvloer.

Shit.

Fok.

Isa’s mond is opengevallen.

Fleur draait zich om. Ze kijkt Isa geschrokken aan. Isa is óók geschrokken, sterker, ze is *geschokt*. Ze had er nooit bij nagedacht dat dit écht kon gebeuren. Shit, als ze hieraan had gedacht, had ze nooit gezegd dat Fleur het moest proberen! Wat dom van haar!

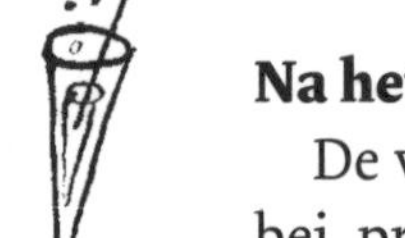

Na het feest:

De vader van Isa heeft hen opgehaald en hoewel ze allebei probeerden te doen alsof ze een superfeest hadden gehad, baalde Isa nog steeds als een stekker dat ze Fleur zomaar op die jongen af liet stappen. Gelukkig hadden ze van tevoren met de anderen afgesproken om elkaar na het feest nog even te spreken op Ch@tgrlz:

Isaiszó:
O, FleUr, het spIjt me zo ontzettend!
FlowerFleur:
Jij kon er niks aan doen, hoor, ik ben toch blij dat ik het gevraagd had.
Kyyyyraaaa:
HeEe WaChT eEnS eVeN. WaT iS eR gEbEuRd?
Sharissademooie:
Hbbn jllie ht niet lk gehd?
Isaiszó:
J@wel, ma@r ik wilde per se d@t FleUr een leUke jongen zou vr@gen om te d@nsen.
Kyyyyraaaa:
GeLiJk Heb Je; AlTiJd MeTeEn DoEn!
FlowerFleur:
Maareuh... hij wou dus niet.
Sharissademooie:
Wou hij nt? Wt een eikl!
Kyyyyraaaa:
HoE kAn DaT nOu?
FlowerFleur:
Hij vond me gewoon niet leuk, denk ik.
Kyyyyraaaa:
OnZiN. Je BeNt HaRtStIkKe LeUk!
Isaiszó:
Sorry dat ik zeI dat je hem mOest vragen, Fleur, sOrry, sorry!
Kyyyyraaaa:
NiKs GeEn SoRrY, IsA. AlS zE HeM lEuK vOnD, mOeSt Ze HeM vRaGen.
Sharissademooie:

Heleml mee ns!

Isaiszó:

MaareUh... de volgende keer p@kken we het anders a@n, oké?

FlowerFleur:

Oké. Maar Isa?

Isaiszó:

J@?

FlowerFleur:

Ik ben toch blij dat ik hem had gevraagd, want ik vond het heel spannend om te doen.

Isaiszó:

GelukkIg, ma@r de volgende keer dOen we het toch @nders, oké?

FlowerFleur:

Oké.

ch@tgrlz vraag 5

Als je verliefd bent op iemand, moet je dan op hem afstappen of juist wachten tot hij het zegt??

FlowerFleur:

Nou, ik denk dat we wel weten wat Kyra hiervan vindt.

Kyyyyraaaa:

WaT iEdErEeN zOu MoEtEn DoEn: Op AfStApPeN!

FlowerFleur:

Ik ben het er helemaal niet mee eens: hij moet naar het meisje komen.

Isaiszó:

D@t heeft ook mIjn voorkeur, hoOr!

Sharissademooie:

Zeg, lkkr geëmancprd zijn jllie!
FlowerFleur:
Maakt me niets uit. Jongens zijn sterker dan meisjes, dus moeten ze een beetje voor ons zorgen – en dat begint al bij naar óns toe komen!
Sharissademooie:

Ik ben andrs veel strkr dan de meeste jngens!
Isaiszó:
Ja, hah@, dat is zo, dat Is ze echt!
Kyyyyraaaa:
En MeIsJeS zIjN nOg AlTiJd VeEl SlImMeR DaN jOnGeNs!
FlowerFleur:
Ik in ieder geval wel, ja, dat is zo.
Kyyyyraaaa:
O, dUs WiJ nIeT?!
Isaiszó:
FleUr maakt v@st maar een gr@pje! En ze heeft wel gelIjk: ze is de slImste van ons allema@l.
FlowerFleur:
Correctie: van de hele klas.
Sharissademooie:
Pfft, alsf je daar jngens mee knt krgen!
Isaiszó:
Als het a@n Delano ligt wel, j@!
FlowerFleur:
En ik ben in ieder geval slim genoeg om te bedenken dat meisjes nóóit zomaar op de jongens moeten afstappen.
Kyyyyraaaa:
MaAr Je HeBt SlIm-BiJ-hEt-LeReN eN sLiM-bIj-VrIeNdScHaP. DaT lAaTsTe bEn Ik, DuS iK weEt HeT nU eEnS bEtEr, JuFfIe!
Sharissademooie:
Je mt het gewn zlf vrgen als je je daar lkkr bij vlt, en andrs niet, dat is het vlgnes mij.

Isaiszó:
Ja, l@ten we het da@r maar op hoUden!

de liefdestherapeute

Doe datgene wat het beste bij je past. Ben je iemand die graag de kat uit de boom kijkt? Gun jezelf de tijd. Doornroosje had honderd jaar nodig voordat ze zich door de prins liet kussen. Leer de jongen van je dromen maar eerst eens rustig beter kennen.

Ben je net als Kyra het directe type? Erop afstappen maar. Verlies daarbij niet je eigen grenzen uit het oog. Stap alleen op de jongen af als je het antwoord aan kunt. Dus: loop liever niet het risico afgewezen te worden als je konijn ziek is, je een belangrijke proefwerkweek voor de boeg hebt of je beste vriendin net naar Australië verhuisd is. Die stress van een jongen die 'nee' zegt, of die doodleuk laat weten dat hij al een ander heeft, kun je er dan echt niet bij hebben. Ook niet als je Kyra heet.

Maar als je minder direct bent, zoals Isa en Fleur, en je weet zeker dat je deze jongen helemaal het einde vindt, moet je dan afwachten? Misschien wacht je dan tot je een ons weegt en daar heb je natuurlijk geen zin in. Maar op hem afstappen… Brrr… veel te eng.

De tussenoplossing is: flirten.

Flirten is niks anders dan op een speelse manier de aandacht trekken en wat uitdagen. Een beetje uittesten: vind hij je ook leuk? Naar hem lachen, naar hem kijken en oogcontact maken, een grapje maken, als je dat durft een knipoog geven, hem plagen, dat valt allemaal onder flirten.

Flirten is voor de een een aangeboren talent (Kyra), maar

gelukkig geldt ook hier: oefening baart kunst.

Lacht hij terug? Kijkt hij naar je? Geeft hij een leuk, beetje lang antwoord als je hem iets vraagt, of keert hij je met een nors ‘nee’ de rug toe?

Door te flirten verlaag je voor hem de drempel om als eerste naar jou toe te komen. En als je door te flirten eenmaal hebt gemerkt: het klikt! Dan is het niet meer zo vreselijk eng om je nek uit te steken en toch nog op hem af te stappen.

'Isa de Tienermeid' weet niet waar ze moet kijken

Wat is schommelen toch eigenlijk leuk! Isa en haar ouders zijn op visite bij Kyra's ouders, en toen besloten Isa en Kyra weer eens naar het speeltuintje te gaan waar ze vroeger ook altijd kwamen.

Het speeltuintje ligt er verregend bij, en eigenlijk is het ook veel te koud om zoiets te doen, maar daardoor is het wél lekker rustig.

Er hangt een oude autoband aan kettingen; dat is de schommel. Als kind vond Isa dat al superleuk, en nu, als twaalfjarige, kan ze er nog steeds geen weerstand aan bieden. Ze kan zich nog net inhouden om er niet op af te rennen, maar ze versnelt toch stiekem haar pas om zeker te zijn dat ze vóór Kyra bij de schommel is.

Ze zwaait haar benen naar voren, en naar achteren... Naar vóóóren en... naar ááächteren!

Mmm, ze voelt de frisse wind in haar haren, heerlijk!

Ze weet niet meer precies hoe oud ze was toen ze voor het eerst op deze 'platte' band ging zitten. Hij hangt namelijk horizontaal aan de kettingen, met het gat in het midden, waar je zo je billen in kan drukken, hihi. Maar Isa weet nog wél precies dat ze eens veel te netjes wilde zitten, aan één kant van de band, en dat ze toen – whoeps – eraf kukelde. Midden in een regenplas.

Nu ligt er opnieuw een regenplas onder de band, maar zo'n fout als een paar jaar geleden zal ze niet snel weer maken!

Naar vóóóren en... naar ááächteren – mmm!

'Hé Joran, waar zit je?!' Kyra's mobiele telefoon. Soms heeft ze van die dagen dat ze alleen maar bezig is met sms'en en bellen. 'Het is gelukt.'

O? Isa trekt haar wenkbrauwen op. Wat is gelukt?

'Hmm. Wel chips meenemen, anders kom je er niet in, haha!'

Isa glimlacht. Komt er iemand chips brengen? Wat een goed idee!

'Is Jason er ook? Leuk, heeft hij ook iets bij zich...? Aha, perfect.'

Isa houdt zich goed vast en gaat naar vóóóren en ááách-teren. Ze weet niet goed hoe het komt, maar dat ze met Kyra in de koude speeltuin is doet haar hart een slagje sneller kloppen. Ze vindt het nu al beregezellig, ook al doen ze eigenlijk niks.

Het komt, denkt ze, doordat dit echt zo'n Grote Meiden Ding is om te doen: lummelen als een echte hangjongere, op een plaats waar je nu duidelijk echt te groot voor bent geworden. Dat is toch eigenlijk wel het Echte Werk voor een Puber, ja toch?

Dat haar zusje Nienke van haar ouders niet mee mocht, maakt dat Isa het nóg spannender vindt. Want het betekent dat Isa nu écht als een Tienermeid wordt beschouwd, en Nienke nog als een Kleuter – ha, dat zal haar leren voor als ze weer eens bijdehand wil doen! Vanaf nu kan Isa tenminste zeggen dat Nienke haar brutale mond moet houden tegen haar grote zus! (En reken maar dat ze dat gaat doen ook!)

Op de brommer komen Joran en Jason aangescheurd. Ze hebben hun helm maar half op; die leunt met het mondstuk op hun voorhoofd. Isa heeft zo wel eens jongens zien rijden, maar dat waren nooit jongens waar *zij* de middag mee ging doorbrengen. Haar glimlach wordt breed en als het goed is, zien de jongens (en Kyra!) niet dat ze even een klein zenuwtrekje in haar kin kreeg.

Ze is gestopt met schommelen, maar wel op de band blijven zitten. Ze houdt nu één voet op de grond (naast de waterplas, daar heeft ze goed op gelet) en de andere bungelt in de lucht. Zou dat er stoer uitzien? Beetje wel, toch?

Degene die achterop zit, kennelijk is dat Jason, houdt een kartonnen pakje met biertjes onder zijn arm. Isa schrikt, maar haalt opgelucht adem als ze ziet dat hij in zijn andere hand een fles cola heeft.

'Daar zijn ze dan!' roept Kyra blij. Ze pakt de zak chips tussen de benen van de bestuurder vandaan. Dat moet dus Joran zijn. 'Gezellig!'

'Hallo,' zegt Isa hopelijk net zo enthousiast als Kyra.

Het maakt haar niet uit dat Kyra duidelijk al van tevoren met deze jongens had afgesproken, en dat ze dáárom met Isa samen naar het speeltuintje wilde. Nee hoor, ze vindt het juist gezellig. Met die rare nicht van haar is altijd wat te beleven!

'Ik ben Isa,' zegt ze.

Kyra knikt. 'Dat is mijn lieve nichtje. Ze zit in de brugklas.'

'O?' Jason komt naast haar staan, tegen de houten paal van de schommel geleund. 'Een brugpieper?' Hij biedt haar de fles cola aan.

Isa knikt met een gloeiend gezicht. Ze pakt de fles en doet wat ze denkt dat een Tienermeid zou doen: ze neemt een slok.

Een uur later zit Isa nog steeds op de schommel, en half in dromenland. Wauw, wat een middag is dit... Ze zijn zó gezellig met zijn viertjes chips aan het eten en grapjes aan het maken. Dit is zoooveel leuker dan wanneer ze thuis waren gebleven, ze kan niet wachten om de andere meiden straks op Ch@tgrlz te vertellen wat ze hebben gedaan!

Die ene jongen, Jason, is echt heel aardig, hihi. Hij ziet er leuk uit – maar natuurlijk lang niet zo leuk als Orlando, hoor. Isa is nog steeds verliefd op Orlando, ze zou hem noooit zomaar inruilen voor iemand die ze voor het eerst eens ziet in een speeltuintje!

Maar toch is het wel leuk dat hij zoveel aandacht voor haar heeft... Dat *iemand* zoveel aandacht voor haar heeft.

Ze heeft hem verteld dat ze eens van de schommelband is afgevallen, precies in de plas. Dat had ze natuurlijk nooit moeten doen, haha, want hij begint meteen aan de kettingen te duwen en te trekken omdat hij wil zien of Isa écht niet opnieuw in de plas zou vallen.

Isa giert het uit van de lach, ze doet het echt bijna in haar broek. En Jason kijkt haar met van die grappige pretoogjes aan. Maar dan zegt hij ineens: 'Shit, ik moet gaan, ik heb nog een afspraak.'

'O,' zegt Isa. 'Oké, doei.'

Tot zover ging alles nog redelijk goed. Maar dan... tikt hij Joran tegen zijn schouder en zegt 'doei' en *loopt* het speelveld af. Hij laat hen met zijn drieën achter!

Even lijkt het niet zo erg, en stiekem spookt zelfs door Isa's gedachten dat Kyra en Joran nu van alles aan Isa gaan vragen over hoe-ze-samen-de-middag-hebben-doorgebracht, en of Isa misschien verliefd is. (En zelfs schiet de gedachte door haar hoofd, maar die is in het diepste geheim, dat Joran zou gaan vertellen dat hij Jason nog nooit zó gezellig heeft gezien met een meisje... Ssst, niet verder vertellen!)

Maar in plaats daarvan: beginnen ze te zoenen! Kyra en Joran! Shit!

Even staat Isa's wereld stil. Dan denkt ze weer: Shit! Ze blijven staan zoenen, shit!

Hoe moet ze hier nou op reageren? Waar moet ze kijken? Er is verder niemand in het speeltuintje, shit, hadden ze dit niet eerder kunnen doen, toen Isa nog gewoon met Jason stond te kletsen? Waar moet ze nu toch kijken – niet naar Kyra en die jongen, niet naar Kyra.

Ze is nu officieel de Vriendin-die-NIET-staat-te-zoenen! Wat, als iemand hen zo ziet staan? Iemand die in de wijk rondom het speelpleintje woont, iemand die hen vanuit een van de slaapkamers kan zien? Die zal zich een breuk lachen omdat Isa er zo onhandig naast staat, zo totaal overbodig te wezen.

'Ahum,' kucht ze dan maar. 'Ik, eh... ik wil óók wel weg.'

'Nee joh,' vindt Kyra. 'Als jij naar huis gaat, vragen ze waar ik ben en dan heb ik weer ruzie thuis.'

Joran kijkt Kyra diep in haar ogen en duwt plagerig zijn neus tegen die van haar voor hij zegt: 'Ja, blijf nog eventjes.'

Dan beginnen ze weer te zoenen. Heel lang. Hééél lang. En Isa begint maar weer te schommelen. Naar voren. En naar achteren. Shit. Ze voelt zich helemaal geen Grote Puber meer, integendeel. Ze is een Klein Kind. Dat ze dit niet zag aankomen...

Die avond hebben de meiden op Ch@tgrlz met haar te doen:

FlowerFleur:

Het spijt me, Kyra, maar ik vind echt dat je met Isa naar huis had moeten gaan.

Kyyyyraaaa:
Ja, MaAr JoRaN dAn?
FlowerFleur:
Als die niet was teruggekomen, is hij dus ook de ware niet.
Kyyyyraaaa:
De WaRe?! DaT hOeFt HiJ hElEmAaL nIeT tE zIjN!
Sharissademooie:
Ik zou je een klp hbben gegvn als je me zo lln liet wchten.
Isaiszó:
Het w@s nIet erg leUk, nee.
FlowerFleur:
Ja, Kyra, je zou het andersom waarschijnlijk ook niet hebben gedaan.
Kyyyyraaaa:
Ik ZoU jAsOn HeBbEn VeRsIeRd!
Isaiszó:
Ma@r dat deed Ik nIet w@nt Ik vInd Orlando nog steeds de @llerleUkste!
Kyyyyraaaa:
DaN mOeT jE mIj MaAr LaTeN wAcHtEn AlS jE eInDeLiJk EeNs MeT hEm ZoEnT, oKé?
Isaiszó:
Afgesproken, hah@!

ch@tgrlz vraag 6

Waarom is vriendschap zo ingewikkeld? Ik ben vriendinnen met 2 meisjes en ze haten elkaar en ze roddelen over elkaar tegen mij; waarom is het zo ingewikkeld?

Isaiszó:
Ahum, dit is dus wel érg herkenba@r voor mIj!
FlowerFleur:
Mooi niet, want IK heb nóóit tegen jou over Sharissa gerodddeld.
Sharissademooie:
O? ds het ws alleml míjn schld?
Isaiszó:
Nee, nee, d@t was v@st nIet wat ze bedoelde.
Kyyyyraaaa:
JaWeL hOoR, vOlGeNs MiJ wEl, HaHa!
Isaiszó:
Ma@r we gaan nU niet @lsnog ruzIe maken. Ik ben all@ng blIj dat jullIe nu wél leUk met elka@r omga@n.
Kyyyyraaaa:
Ja, En Nu WiLlEn We WeTeN hOe DaT iS gElUkT, iSa!
Isaiszó:
Nou, ik denk dat ik Fleur en SharIs heb gedwongen om s@men dIngen te doen, waardoor ze vanzelf z@gen dat de @nder óok heel leUk is-
Sharissademooie:
Echt nt, Isa. Je begn jst te liegn! Tgn míj ng wel!
Isaiszó:
Maar d@t was nIet expres, d@t weet je toch nog wel?
FlowerFleur:
Volgens mij heeft Sharissa dit keer wel gelijk. Het was stom toevallig dat we tegelijk op dezelfde plek waren.
Kyyyyraaaa:
HaHa, Ik ZiE nOg Zo JoUw GeScHrOkKeN gEzIcHt VoOr Me!
Isaiszó:
O – glOep, ik weet het weer... *
Kyyyyraaaa:

(* Zie: *Vriendinnen voor Isa.*)

MaAr HoE kWaM hEt DaN dAt JuLlIe Nu ToCh MeT ElKaAr OmGaAn?

FlowerFleur:

Omdat ze iets van mij nodig had, natuurlijk.

Isaiszó:

Hoho, het is heus niet alleen Omdat Sharissa met Ch@tgrlz mee wilde doen. Het was voor jou óók goed om méér vriendInnen te krijgen, Fleur.

FlowerFleur:

Ja, ahum, dat misschien ook...

Kyyyyraaaa:

DuS eIgEnLiJk MoEt Je IeTs ZoEkEn DaT dE eEn NoDiG hEeFt En AnDersOm. DaN mOeTeN zE WeL mEt ElKaAr!

Isaiszó:

Weet je w@t, Kyra, mIsschien is d@t niet eens zO gek bedacht van jou!

de liefdestherapeute

Veel meiden (en jongens trouwens ook) zijn in hun tienertijd onzeker. Wie vindt mij leuk? Ben ik wel leuk? Waarom zou iemand mij leuk moeten vinden?

Vriendschappen zijn in het algemeen hartstikke fijn. Je vriendinnen zijn degenen van wie je weet dat ze je leuk vinden, dat ze achter je staan. Sterker nog: 'Als mijn vriendin me leuk vindt, BEN ik leuk.' Bovendien merk je in de gesprekken met hen dat zij allemaal met hetzelfde worstelen, ook als je zo'n leuke, mooie meid bent als Isa en haar vriendinnen.

Het wordt minder leuk als je eraan twijfelt of je vriendin je wel echt leuk vindt. Of als je beste vriendin ineens heel close is en heel veel optrekt met een andere vriendin. Hoor je er nog bij?

Ben ik net zo'n goede vriendin als die andere, of kom ik op de tweede of derde plaats? De vriendschap maakt je ineens onzeker in plaats van dat je er zelfvertrouwen van krijgt en blij van wordt.

Het liefst zou je die ander eruit werken.

Als meiden over hun vriendinnen gaan roddelen en gaan stoken, zit er bijna altijd onzekerheid achter. Ze willen hun eigen positie in het vriendengroepje veilig stellen. Die onzekerheid en de jaloezie neem je niet zomaar weg. Helaas, want vriendinschappen kunnen erdoor sneuvelen.

Vriendschap kan nog zo ingewikkeld zijn, je hoeft gelukkig zelf niet ingewikkeld te doen.

Zeg tegen beide vriendinnen dat je met hen alle twee vriendin wilt zijn. Dat je hen beiden leuk en belangrijk vindt.

Geef aan dat je niet blij wordt van al het geroddel en gehaat en dat je dat niet meer wilt horen. Roddelen doen ze maar ergens anders. Als je ene vriendin iets aan te merken heeft op je andere, moet ze dat maar rechtstreeks vertellen aan die andere en niet aan jou.

Als je daar consequent en heel duidelijk in bent, zul je merken dat dat a) gewaardeerd wordt (misschien niet door deze vriendinnen, maar dan wel door een heleboel andere) en b) dat dat vervelende gedoe minder wordt.

Isa slaat de spijker op de kop: het is voor iedereen goed om meer vriendinnen te hebben! Ook als je daar in het begin onzeker en jaloers van wordt. En als je samen, dus met z'n allen, leuke dingen gaat doen, kan dat de band verstevigen.

ch@tgrlz vraag 7

Wat moet je doen als je allerbeste vriendin je vertelt dat ze verliefd is en jij bent op dezelfde jongen maar je weet dat als je het haar vertelt, dat ze dan heel erg kwaad op je wordt?

Isaiszó:
Ik moet er nIet aan denken dat Ik verlIefd w@s op het vriendje van SharIss@. Dat zoU ik nIet overleven, denk Ik, haha!

Sharissademooie:
Zkr wtn van niet. Ik zou cht woest zn!

FlowerFleur:
Nou ja zeg; het kan toch gebeuren dat je verliefd wordt? Daar kan je vriendin dan toch niets aan doen?

Kyyyyraaaa:
Ik ViNd DaT jE gEwOoN eErLiJk MoEt KiJkEn WiE hEm kAn KrIjGeN. En AlS hIj VoOr MiJ kIeSt, MoEt Je DaT gEwOoN aCcEpTeReN!

Sharissademooie:
Wie zgt dat alle jngns voor jóu kzn?!

FlowerFleur:
Ja, Kyra, je moet natuurlijk niet proberen het vriendje van je vriendin weg te kapen. Dat is wat anders – dan ben je gewoon een slechte vriendin.

Isaiszó:
Ja, Kyr@! Ik kIjk je nooit meer a@n als Ik je ooit met Orlando zie flIrten!

FlowerFleur:
Je moet wel echt écht verliefd zijn.

Isaiszó:
Zoals Ik op Orl@ndo, zucht...
Sharissademooie:
Prcs, en drm moeten wij met onze tengls van hem afblvn!
FlowerFleur:

Maar als Sharissa nou eens écht verliefd op Orlando zou zijn...
Isaiszó:
Wat een @fschUwelijk voOrbeeld!
Kyyyyraaaa:
MaAr Ik KaN tOcH oOk EcHt VeRlIeFd ZiJn?
Sharissademooie:
Jij niet, jij moet gewoon met je fikkn van onze jongns afblven!
Kyyyyraaaa:
NoU, rUsTiG mAaR hOOr. Ik DoE tOcH nIkS?
Sharissademooie:
Mooi. En ik ben ook níet vrlfd op Orlndo.
Isaiszó:
Pfft, gelUkkIg ma@r!
FlowerFleur:
En anders moet je er eerst samen over praten, vind ik. En afspreken wat je er mee moet, als vriendinnen. Dan is de kans het kleinste dat je elkaar kwijtraakt.
Isaiszó:
Ja, dat klInkt wel wIjs FleUr. Maar het lIjkt me nog steeds een moeIlijke sitUatie!

de liefdestherapeute

Wees heel eerlijk: ben je op die jongen OMDAT je beste vriendin dat ook is, of vind je de jongen toevallig gewoon heel leuk?

Dit lijkt een vreemde vraag, maar het komt vaker voor dan je denkt dat een meisje verliefd wordt omdat haar beste vriendin al op die jongen is. Doordat je vriendin zo vol lof is en eigenlijk helemaal niks verkeerds ziet aan 'haar' vriendje, ga je hem met andere, rooskleuriger, ogen zien. En dan kan het zijn dat jij, oei, ook als een blok voor hem valt. Wat niet leuk is voor je vriendin.

In dat geval zou ik een stapje terug doen. Je vriendin heeft de oudste rechten.

Maar als je gewoon die jongen hartstikke leuk vindt, is de boosheid van je vriendin niet terecht.

Hoe kan ze kwaad worden over iets wat ze zelf ook voelt?

Verliefd worden is niet verboden. Meestal kun je niet goed kiezen op wie je verliefd wordt.

Vertel het je vriendin en bespreek samen hoe je hiermee moet omgaan. Je kunt bijvoorbeeld afspreken dat ieder op een eerlijke manier zal proberen hem voor zich te winnen. Dus niet liegen of roddelen over elkaar. Het is jammer dat je tegen elkaar concurreert en elkaar niet kunt helpen.

Je kunt ook afspreken hem alle twee te ontwijken, en dat je op zoek gaat naar een ander.

Wie kent hem het beste? Is hij al op een van jullie?

Als je vriendin boos blijft omdat je op dezelfde jongen bent, moet je je afvragen of deze vriendschap echt goed is. Speelt je vriendin altijd de baas? Loop jij bij haar op je tenen, want oei oei, anders wordt zij straks weer boos?

Dan moet je daar eens stevig over praten. Misschien moet je stoppen met deze vriendschap omdat jij jezelf niet kunt zijn.

Maar als je vriendin best meevalt, kun je bedenken:

Jongens komen, jongens gaan, maar vriendinschap blijft altijd bestaan.

ch@tgrlz vraag 8

Ik weet dus niet of ik verliefd op hem ben want ja ik voel wel iets en hij doet heel lief tegen mij en mijn vraag is nu: hoe weet ik of ik verliefd ben op hem !!!

Isaiszó:
Als je bijna nIet meer op je benen kUnt sta@n zodr@ je hem zIet...
FlowerFleur:
Het hoeft toch niet meteen zo heftig te zijn?
Sharissademooie:
Ik vnd van wel hoor. Als je verlfd bent, wrd je de hele dag giechelg!
Kyyyyraaaa:
GiEcHeLeN iS vOoR bAbY's! Ik ZoRg GeWoOn DaT iK aL zIjN aAnDaChT tReK!
Sharissademooie:
Mr jij bent niet vrlfd, jij wlt gewoon zoenn!
Isaiszó:
Ja, wij bedoelen: zo verlIefd dat je voor @ltIjd bij hem wIlt zijn...
FlowerFleur:
Hoho, het hoeft toch niet meteen voor altijd te duren?
Kyyyyraaaa:
ViNd Ik OoK!
Isaiszó:
Voor mIj wel hoor. Ik wil voor @ltIjd Isa-met-Orl@ndo zijn – mmm...
Sharissademooie:

Als je nt altd samen wlt zijn, kan je net zo goed gewn vrnden blijvn.

Isaiszó:

Daar ben Ik het helema@l mee eens!

de liefdestherapeute

Een heel goede vraag, want iedereen wordt net weer op een andere manier verliefd. De één wordt heel verlegen en denkt dat ze flauw valt (of valt echt flauw) als hij in de buurt komt, een ander voelt haar hart bonzen, krijgt een hoofd als een boei en is ineens ontzettend vrolijk. Bij de een is er verliefdheid op het eerste gezicht, zo plotseling als een donderslag bij heldere hemel; de ander trekt maandenlang met een jongen op en dan ineens realiseert ze zich dat hij toch wel erg, erg, leuk en stoer en knap is.

Wat bijna iedereen heeft: dat je je van top tot teen voelt sprankelen als hij in de buurt is. Hij maakt je blij. Helaas kun je je tegelijkertijd ook onzeker of bang voelen dat-ie je niet ziet of je down voelen als hij een ander leuker vindt, maar toch: het feit dat hij bestaat maakt je op een bijzondere manier blij.

En dan is er nog een diep, intens verlangen om die jongen te zien, bij hem te zijn. Je fantaseert over hem, alles is geweldig als je samen bent of als je samen iets onderneemt.

Na verloop van tijd komt daar vaak bij dat je hem graag wilt aanraken. Hand in hand zitten is dan de zevende hemel, of elkaar omhelzen, of zoenen... mmmm, wat raar eigenlijk dat mensen nog tijd voor iets anders hebben dan zoenen.

Als je het echt zeker wilt weten: afwachten. Beginnende verliefdheid is nog onduidelijk en een beetje vaag. Beginnende verliefdheid kan nog alle kanten op gaan. Het kan wegebben, kan overgaan in vriendschap en genegenheid, kan ineens ophouden of omslaan in het tegendeel. Hij heeft iets stoms of bots of vervelends gedaan en je snapt niet dat je ooit iets in hem zag. Beginnende verliefdheid kan lijken op vriendschap, op elkaar erg lief, sympathiek en cool vinden.

Echte verliefdheid is verpletterend. De wereld draait om hem, je kunt aan niemand anders meer denken. Je vraagt je niet meer af of je verliefd bent, je kunt er niet omheen.

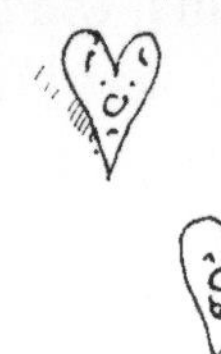

Geheime code voor een boyz-verhaal!

Jongens... Soms verwacht je dat ze aardig zullen zijn, maar doen ze totaal onverwacht superbot tegen je – of andersom. Je snapt er soms helemaal niks van!

Toen ik deze serie verhalen over de ch@tgrlz met jongens begon, wist ik nog niet dat het zulke verschillende ontmoetingen zouden worden, op zulke verschillende lokaties ook. Er is alleen één boyz-verhaal dat ik niet meer kon vertellen in de serie voor weekblad Tina. Die heb ik op de site geplaatst: www.chatgrlz.nl. Als je daar bent, ga dan naar het kopje 'Chatboyz extra' en toets deze code in: Isaboy.

De vragen in dit boek zijn bedacht door een paar van de ch@tgrlz die zijn aangesloten op de nieuwsbrief. Alle vragen die zij hebben ingestuurd, waren superleuk en heel goed bruikbaar voor Ch@tgrlz & -boyz. Daarom wil ik hartelijk bedanken:

Anouk Pipó, Jetske de Pijper, Pauline Verstraeten, Sterre van Aalst, Svea Mermans, Jolien van Roy, Yamira Boubegtiten, Maxime Heeren, Roos Nijssen, Kathy Groeneveld, Rachel Selderhuis, Annemieke Hoevers, Alex Post, Jolien Matser, Marcella Willemsen, Lian Koster.

Tot slot nog mijn grote DANK voor therapeute Sybille Labrijn. Dankzij haar deskundig advies is dit boek een echt – écht – leuke aanvulling geworden op de serie Ch@tgrlz.

Nanda Roep

Over Sybille Labrijn

Sybille Labrijn is psychologe. Ze doet onderzoek voor justitie en ze heeft daarnaast een eigen praktijk. Het werk voor justitie houdt in dat zij met verdachten praat en bij hen psychologisch onderzoek uitvoert. Welke problemen heeft deze verdachte en hoe komt het nou dat hij delicten pleegt? Kunnen we dat in het vervolg voorkomen?

Door dit werk heeft zij veel geleerd over hoe mensen in elkaar zitten, hoe problemen ontstaan, welk effect bijvoorbeeld relatieproblemen hebben op iemand. Relaties hebben haar bijzondere aandacht.

Dit is de eerste keer dat zij voor meiden schrijft en ze vond dat erg leuk. Hoe meer ze ermee bezig was, des te meer herinneringen kwamen boven.

Ze heeft voor volwassenen boeken over de liefde en relatieproblemen geschreven:

De groeistuipen van de liefde. Overwin de zeven crises in je relatie

Nu alleen de liefde nog. Voor vrouwen die in alles geslaagd zijn, behalve...

Cupido in gevaar. Je relatie als er net een kind is.

Deze boeken zijn verschenen bij Uitgeverij Gottmer.

Sybille Labrijn is moeder van twee kinderen, Tijmen (7) en Aljoscha (bijna 5).

Meer info vind je op:
www.sybille-labrijn.com

Lees ook:

Vriendinnen voor Isa

De eerste tijd in de brugklas is spannend. Isa is dan ook dolblij als ze in haar nieuwe klas vriendinnen wordt met Fleur. Maar Isa's oude vriendin Sharissa is jaloers: ze is bang om haar beste vriendin kwijt te raken. Er zit voor Isa niets anders op dan haar vriendschap met Fleur zoveel mogelijk te verzwijgen tegenover Sharissa.

Intussen probeert Isa niets te laten merken van het geldgebrek dat ze thuis hebben. Zeker als ze de Liefde van haar Leven ontmoet.

Ze doet enorm haar best om iedereen te vriend te houden, maar daarbij vertelt ze steeds vaker een leugentje om bestwil. Isa raakt langzaam in haar eigen web verstrikt... En dan barst de bom!

hi hi
hi hi